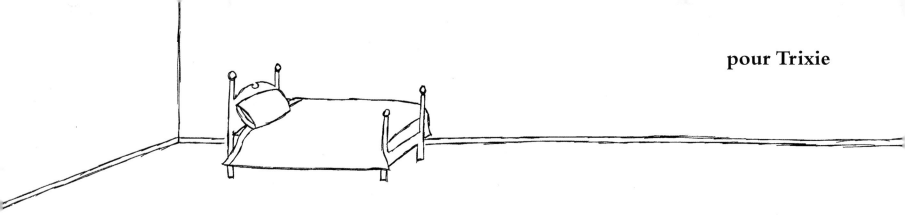

pour Trixie

Texte traduit de l'anglais par Élisabeth Duval

Titre de l'ouvrage original : TIME TO PEE !
Éditeur original : Hyperion Books for Children
Text and illustrations copyright © 2003 by Mo Willems
Tous droits réservés
Pour la traduction française : © 2005 Kaléidoscope,
11, rue de Sèvres, 75006 Paris, France
Loi n° 49.956 du 16 juillet 1949 sur les publications
destinées à la jeunesse : septembre 2005
Dépôt légal : septembre 2005
Imprimé en Italie

Diffusion l'école des loisirs

www.editions-kaleidoscope.com

L'heure du pipi !

Mo Willems

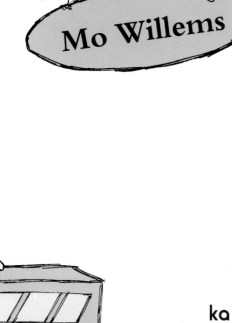

kaléidoscope

au bout

du

o l é

couloir,

Les filles

s'assoient,

elles.

Lave tes mains.

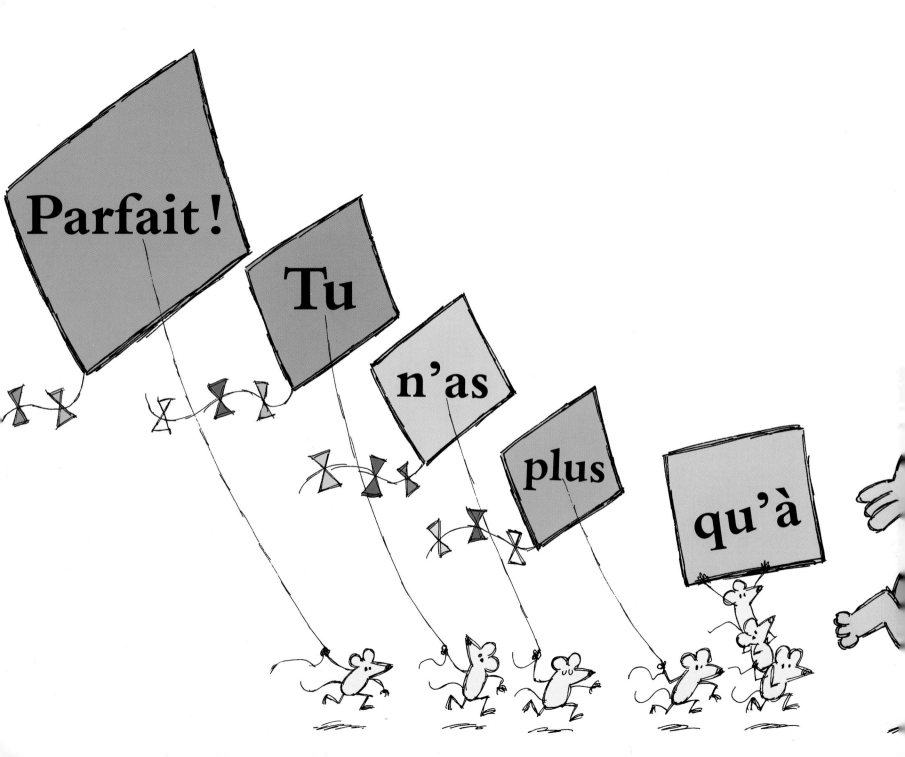

retrouver  tes jouets.